Jede Menge Flötentöne!

Barbara Ertl

Flöten-weihnacht

Leichte bis mittelschwere Weihnachtslieder für eine oder zwei Sopranblockflöten

mit Illustrationen von Wofgang Steinmeyer

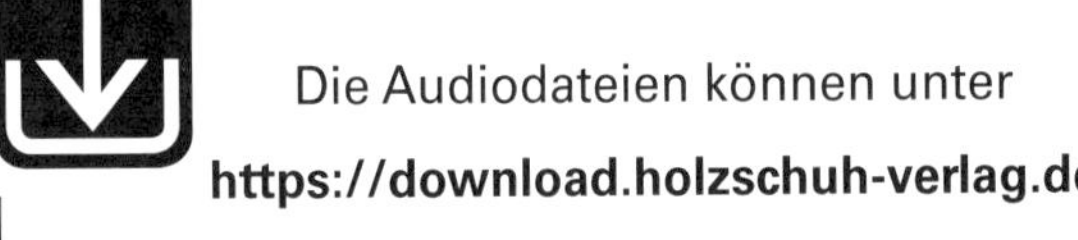

Impressum

VHR 3646-DL / ISMN 979-0-2013-1074-9 / ISBN 978-3-86434-161-8

Audio-Produktion:
Produziert und arrangiert von Jo Barnikel
Aufgenommen 2014 im Ewood-Studio Nürnberg

Mitwirkende:
Jo Barnikel – Klavier, Keyboards, Akkordeon, Programming, Bass, Gitarren, Ukulele, Mandoline, Cornet, Kuhhornflöte, Percussion
Jo Barnikel spielt Ortega-Ukulelen und Meinl-Percussion
Barbara Ertl – Blockflöten (Sopran, Alt, Tenor)
Jan Borkiel – Kontrabass
Karin Jobel – Harfe

Notensatz: Regina Krauß, Speyer
Illustration: Wolfgang Steinmeyer, Waltenhofen
Umschlag: Gerhard Illig, Schwaig bei Nürnberg

www.holzschuh-verlag.de

Inhalt

Vorwort

„Flötenweihnacht" ist eine Sammlung bekannter und beliebter Weihnachtslieder und darüber hinaus eine Fortsetzung des Bandes „Erste Weihnacht". Auch hier gibt es am Anfang noch einfache Lieder mit geringem Tonumfang, im Großen und Ganzen orientiert sich das Niveau aber am Können der Schüler nach etwa zwei bis drei Unterrichtsjahren. Ein paar wenige Lieder, die in keinem Weihnachtsliederbuch fehlen dürfen, sind in beiden Bänden enthalten, allerdings nun in anderer Tonart. Die Akkordsymbole über den Noten ermöglichen ein gemeinsames Musizieren von Flöten und Begleitinstrumenten wie Gitarre, Klavier oder Akkordeon.

Die Audiodateien, die durch den Download-Code auf der letzten Seite dieses Buchs zugänglich sind, bieten die Musik sowohl in einer Vollversion mit den Flötenstimmen als auch in einer Play-along-Fassung zum Mitspielen an. Die Tempi sind schülerfreundlich gewählt, die Orientierung für den Einsatz gibt jeweils ein kleines Vorspiel. Viele Lieder werden zweimal gespielt, entweder in direkter Folge (Wiederholungszeichen im Notentext) oder durch ein Zwischenspiel verbunden.

Viel Vergnügen beim weihnachtlichen Musizieren wünscht
Barbara Ertl

Fröhliche Weihnacht überall

Text und Melodie:
überliefert

Inmitten der Nacht

02

aus dem Kinzigtal

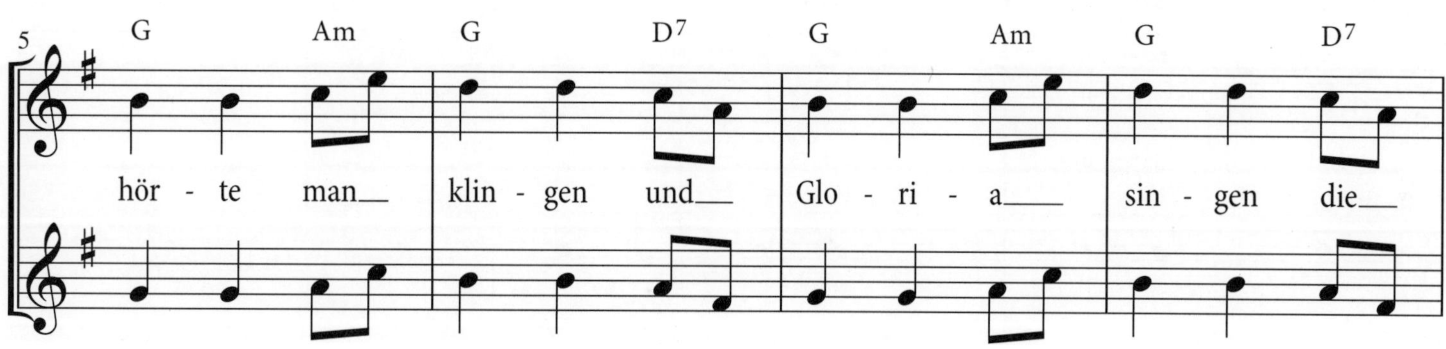

2. Die Hirten im Feld verließen ihr Zelt.
Sie gingen mit Eilen, ganz ohne Verweilen
dem Krippelein zu, ja, ja, der Hirt und der Bu.

3. Sie fanden geschwind das göttliche Kind.
Es herzlich zu grüßen, es herzlich zu küssen
sie waren bedacht, ja, ja, die selbige Nacht.

4. Es lächelt sie an, so lieb als es kann.
Es will ihnen geben das himmlische Leben,
die göttliche Gnad, ja, ja, und was es nur hat.

Zu Bethlehem geboren

Text: Friedrich v. Spee
Melodie: Köln 1638

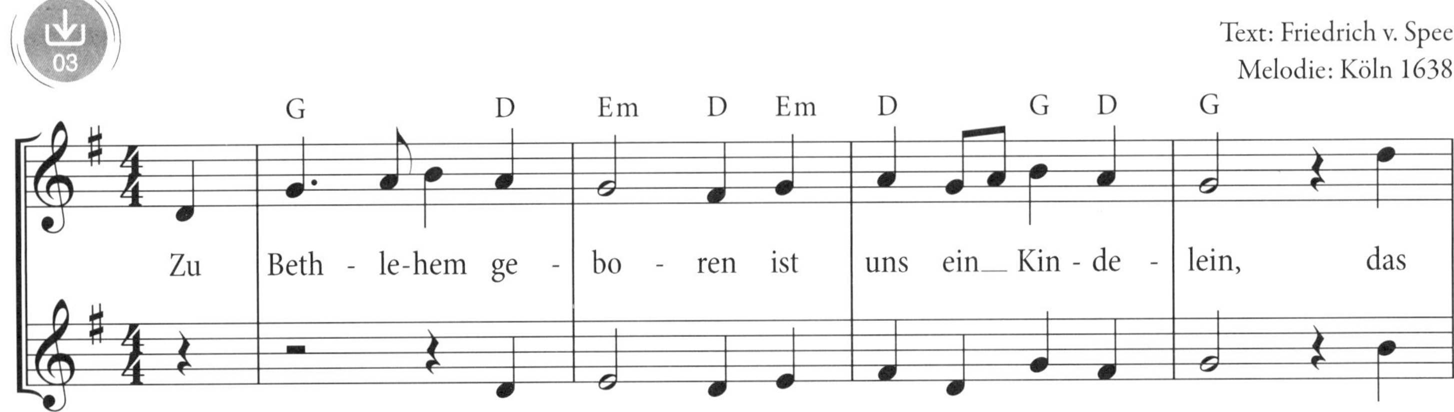

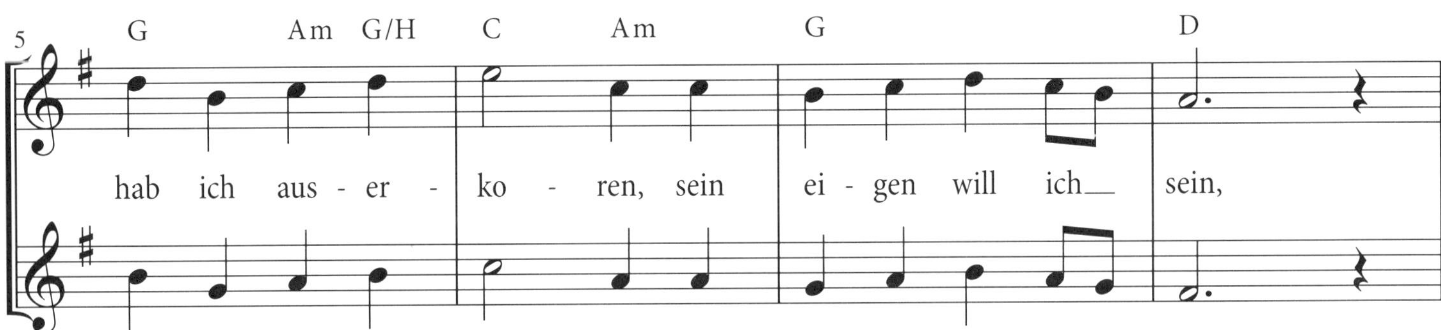

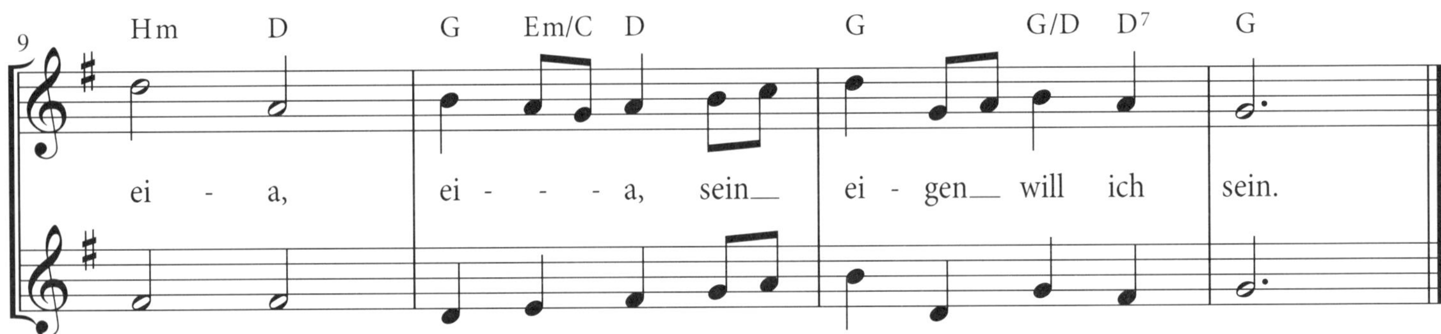

2. In seine Lieb versenken
will ich mich ganz hinab;
mein Herz will ich ihm schenken
und alles, was ich hab,
eia, eia, und alles, was ich hab.

3. O Kindelein, von Herzen
will ich dich lieben sehr,
in Freuden und in Schmerzen,
je länger und je mehr,
eia, eia, je länger und je mehr.

4. Die Gnade mir doch gebe,
bitt ich aus Herzensgrund,
dass ich allein dir lebe
jetzt und zu aller Stund,
eia, eia, jetzt und zu aller Stund.

5. Dich, wahren Gott, ich finde
in unserm Fleisch und Blut;
darum ich mich dann binde
an dich, mein höchstes Gut,
eia, eia, an dich, mein höchstes Gut.

Was soll das bedeuten

aus Schlesien

2. Treibt z'sammen, treibt z'sammen,
die Schäflein fürbass,
treibt z'sammen, treibt z'sammen,
dort zeiget sich was:
Dort in dem Stall, dort in dem Stall
werd't Wunderding' sehen,
treibt z'sammen einmal!

3. Ich hab nur ein wenig
von Weitem geguckt,
da hat mir mein Herz schon
vor Freuden gehupft:
Ein schönes Kind, ein schönes Kind
liegt dort in der Krippe
bei Esel und Rind.

Vom Himmel hoch, o Englein kommt

Text: nach Friedrich v. Spee
Melodie: Köln 1623

2. Kommt ohne Instrumente nit!
Eia, eia, susani, susani, susani.
Bringt Lauten, Harfen, Geigen mit!
Alleluja, alleluja! Von Jesus singt und Maria.

3. Lasst hören euer Stimmen viel!
Eia, eia, susani, susani, susani.
Mit Orgel und mit Saitenspiel.
Alleluja, alleluja! Von Jesus singt und Maria.

O laufet, ihr Hirten

2. Ein Kindlein ist gsehn wie ein Engel so schön,
dabei auch sein alter Vater tut stehn,
ein' Jungfrau, schön zart nach englischer Art.
Es hat mich erbarmet ganz inniglich hart.

Lobt Gott, ihr Christen, alle gleich

Text und Melodie:
Nicolaus Herman

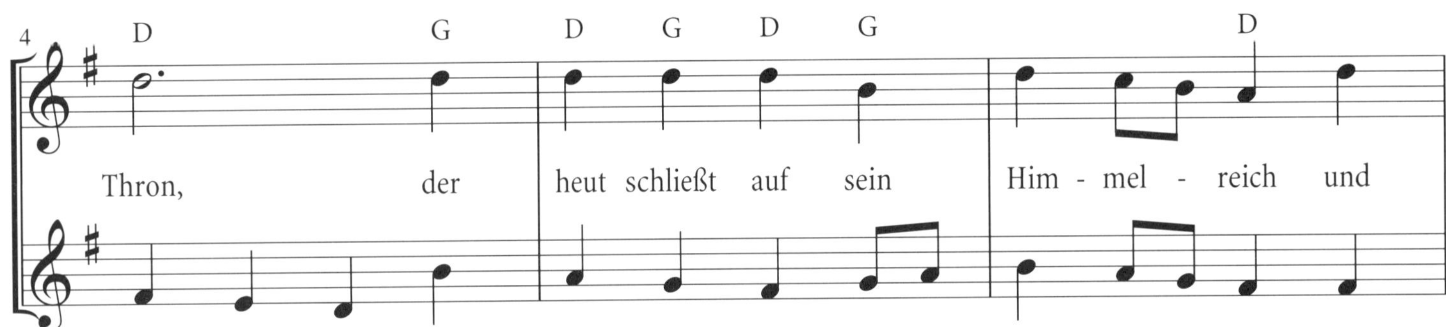

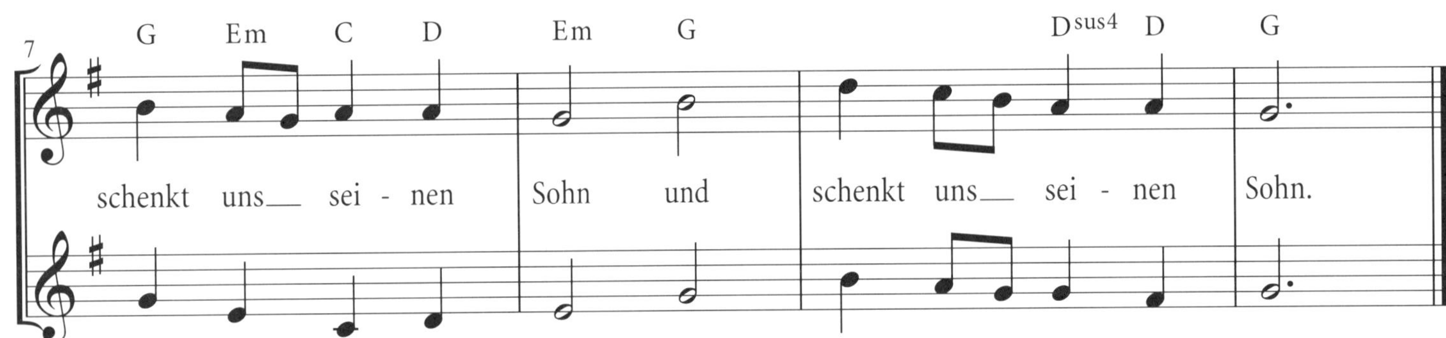

2. Er kommt aus seines Vaters Schoß
und wird ein Kindlein klein,
er liegt dort elend, nackt und bloß
in einem Krippelein,
in einem Krippelein.

3. Er äußert sich all seiner G'walt,
wird niedrig und gering
und nimmt an eines Knechts Gestalt,
der Schöpfer aller Ding,
der Schöpfer aller Ding.

4. Er wird ein Knecht und ich ein Herr;
das mag ein Wechsel sein!
Wie könnt es doch sein freundlicher,
das herze Jesulein,
das herze Jesulein!

5. Heut schließt er wieder auf die Tür
zum schönen Paradeis;
der Cherub steht nicht mehr dafür,
Gott sei Lob, Ehr und Preis,
Gott sei Lob, Ehr und Preis!

Herbei, o ihr Gläub'gen

Text: F. H. Ranke
Melodie: überliefert

Es wird scho glei dumpa

Es kommt ein Schiff, geladen

Text: Daniel Sudermann
Melodie: Köln 16. Jahrhundert

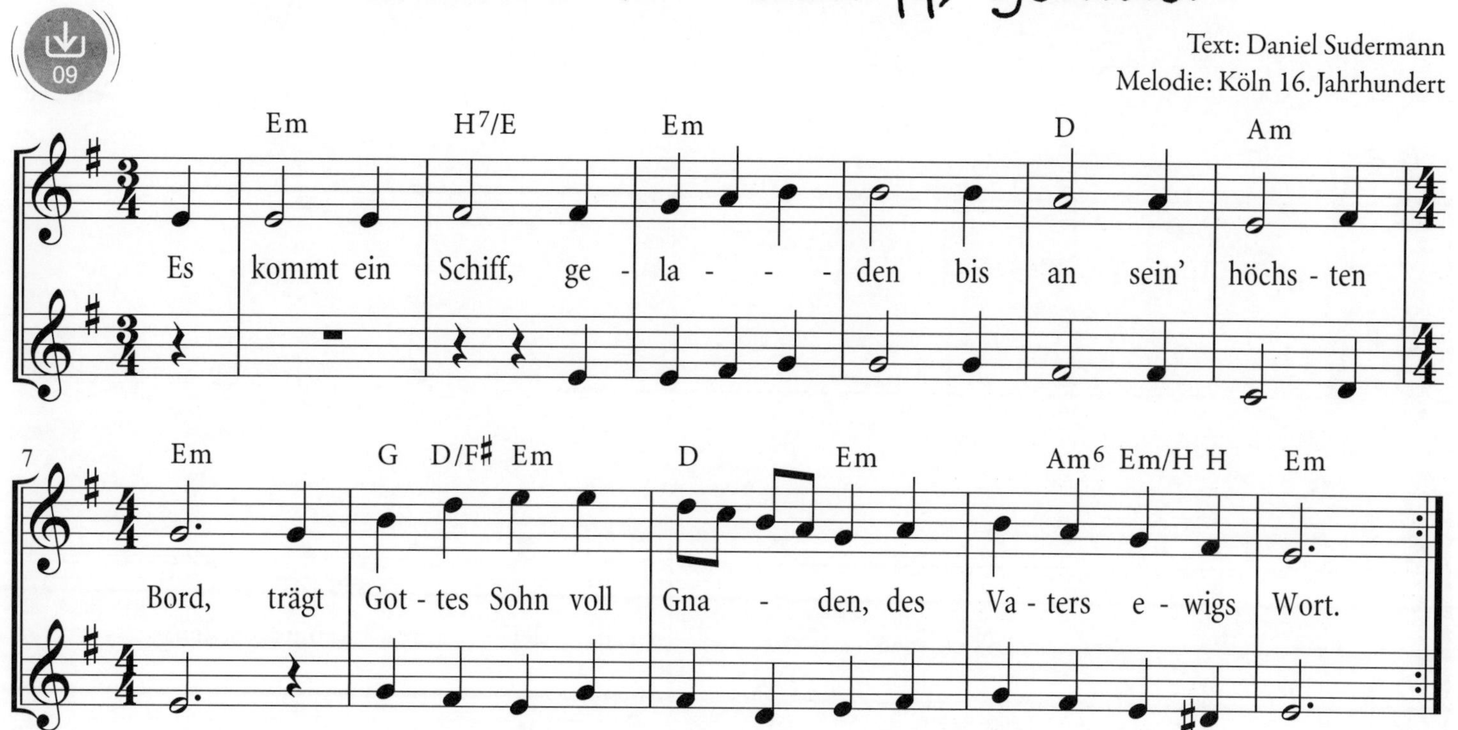

2. Das Schiff geht still im Triebe, es trägt ein' teure Last;
das Segel ist die Liebe, der Heilig Geist der Mast.

Vom Himmel hoch, da komm ich her

Text: Martin Luther
Melodie: Leipzig 1537

2. Euch ist ein Kindlein heut geborn von einer Jungfrau auserkorn,
ein Kindelein, so zart und fein, das soll eu'r Freud und Wonne sein.

Heiligste Nacht

Christoph Bernhard Verspoell

2. Göttliches Kind! Göttliches Kind!
Du, der gottseligen Väter Verlangen,
Zweig, der der Wurzel des Jesse entsprießt.
Lass dich mit inniger Liebe umfangen,
sei uns mit herzlicher Demut gegrüßt:
Göttlicher Heiland, der Christenheit Haupt,
was uns der Sündenfall Adams geraubt,
schenket uns deine Huld.
Sie tilgt die Sündenschuld
jedem, der glaubt, jedem, der glaubt.

Es ist ein Ros' entsprungen

Text und Melodie:
16. Jahrhundert

2. Das Röslein, das ich meine,
davon Jesaja sagt,
hat uns gebracht alleine
Marie, die reine Magd;
aus Gottes ew'gem Rat
hat sie ein Kind geboren
wohl zu der halben Nacht.

3. Das Blümelein so kleine,
das duftet uns so süß;
mit seinem hellen Scheine
vertreibt's die Finsternis.
Wahr' Mensch und wahrer Gott,
hilft uns aus allem Leide,
rettet von Sünd und Tod.

Kommet, ihr Hirten

Text: Carl Riedel
Melodie: aus Böhmen

2. Lasset uns sehen in Bethlehems Stall,
was uns verheißen der himmlische Schall.
Was wir dort finden, lasset uns künden,
lasset uns preisen in frommen Weisen:
Halleluja!

3. Wahrlich, die Engel verkündigen heut
Bethlehems Hirtenvolk gar große Freud.
Nun soll es werden Friede auf Erden,
den Menschen allen ein Wohlgefallen:
Ehre sei Gott!

Hört, der Engel helle Lieder

Text: Otto Abel
Melodie: aus Frankreich

Ihr Kinderlein, kommet

Text: Christoph v. Schmid
Melodie: Johann Abraham Peter Schulz

2. O seht in der Krippe im nächtlichen Stall,
seht hier bei des Lichtleins hellglänzendem Strahl
in reinlichen Windeln das himmlische Kind,
viel schöner und holder, als Engel es sind!

3. Da liegt es, das Kindlein, auf Heu und auf Stroh;
Maria und Joseph betrachten es froh.
Die redlichen Hirten knien betend davor,
hoch oben schwebt jubelnd der Engelein Chor.

4. O beugt wie die Hirten anbetend die Knie,
erhebet die Hände und danket wie sie!
Stimmt freudig, ihr Kinder, – wer wollt' sich nicht freun? –
stimmt freudig zum Jubel der Engel mit ein!

Kling, Glöckchen, klingelingeling

Text: Karl Enslin
Melodie: Benedikt Widmann

2. Kling, Glöckchen, klingelingeling,
kling, Glöckchen, kling!
Mädchen hört und Bübchen,
macht mir auf das Stübchen,
bring euch viele Gaben,
sollt euch dran erlaben!
Kling, Glöckchen, klingelingeling,
kling, Glöckchen, kling!

2. Kling, Glöckchen, klingelingeling,
kling, Glöckchen, kling!
Hell erglühn die Kerzen,
öffnet mir die Herzen,
will drin wohnen fröhlich,
frommes Kind, wie selig!
Kling, Glöckchen, klingelingeling,
kling, Glöckchen, kling!

Macht hoch die Tür

Text: Georg Weißel
Melodie: aus Halle, 1704

Komm, wir gehn nach Bethlehem

16

Text und Melodie:
überliefert

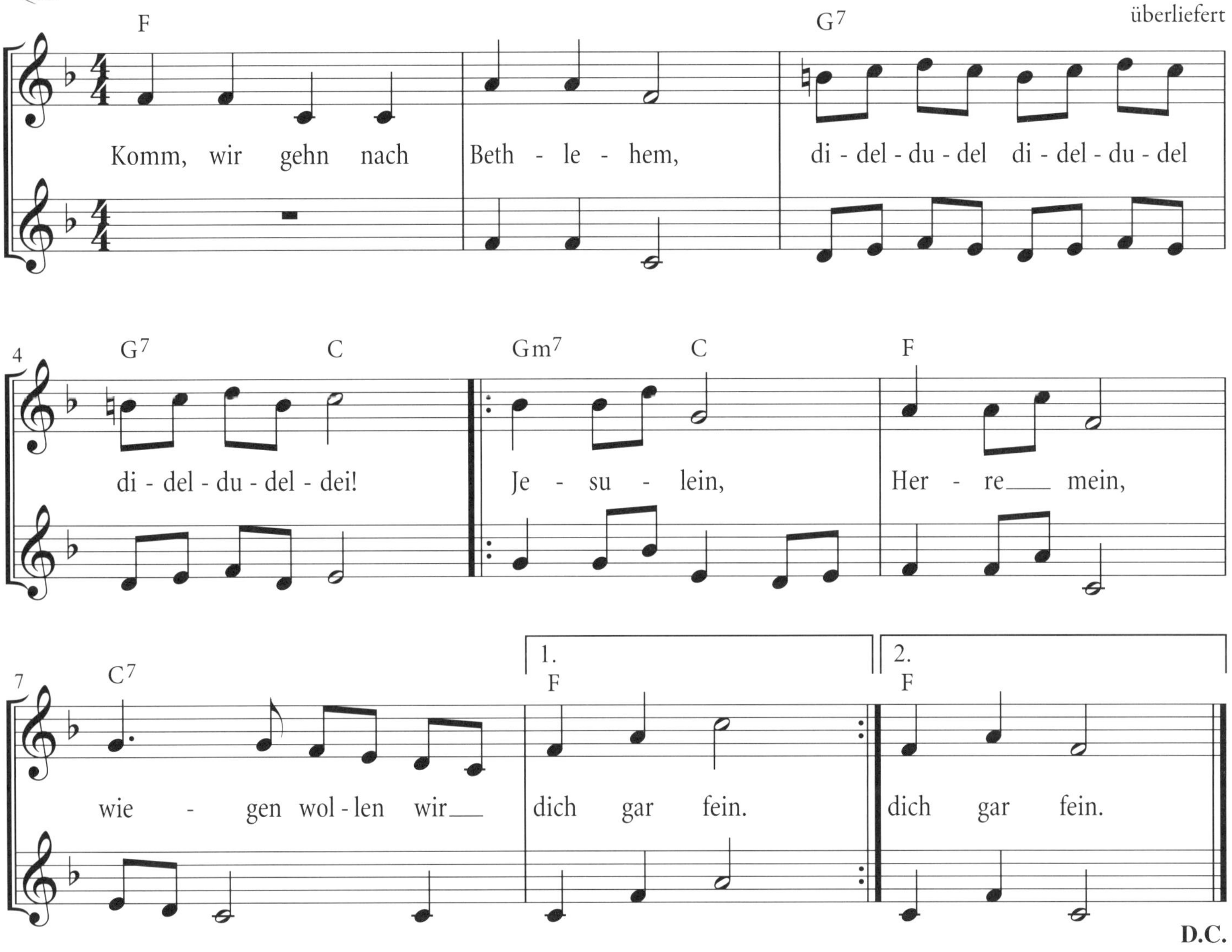

F G7
Komm, wir gehn nach Beth - le - hem, di - del - du - del di - del - du - del

4
G7 C Gm7 C F
di - del - du - del - dei! Je - su - lein, Her - re___ mein,

7
C7 1. F 2. F
wie - gen wol - len wir___ dich gar fein. dich gar fein.

D.C.

Maria durch ein' Dornwald ging

17

Text und Melodie:
aus dem Eichsfeld, um 1600

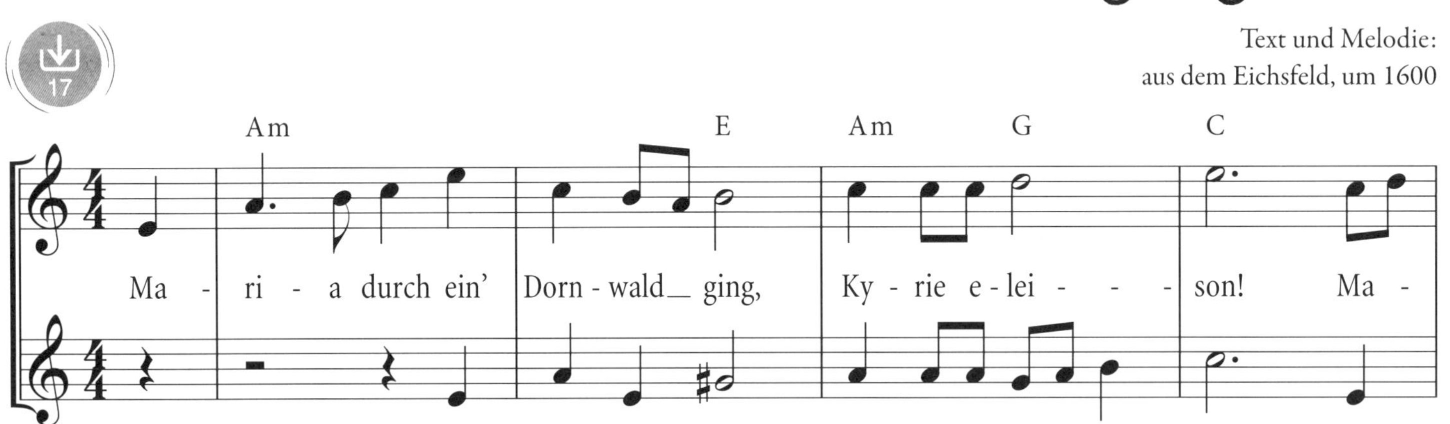

5
C G Am
ri - a durch ein' Dorn - wald ging, der hat in sieb'n Jahrn kein
8
E H7sus4/E E Am E Am
Laub ge - trag'n. Je - sus und Ma - ri - a!

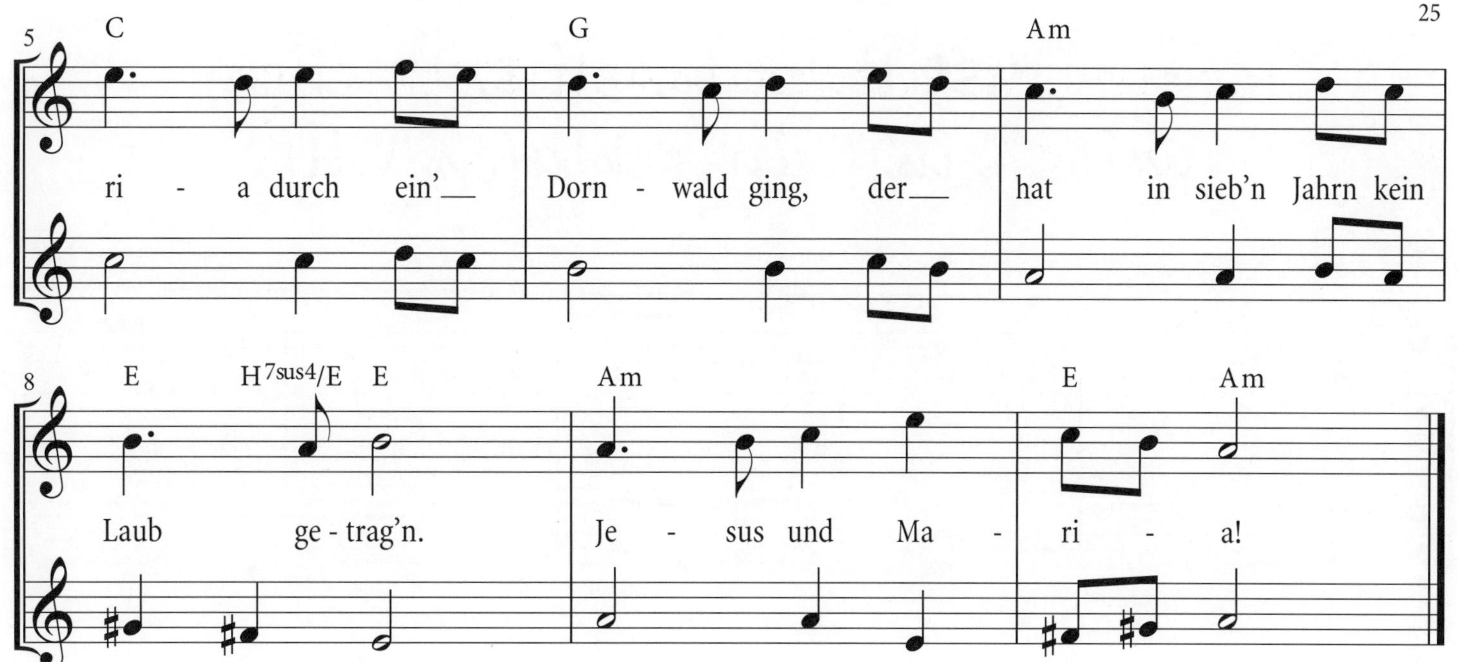

Am Weihnachtsbaum die Lichter brennen

Text: Hermann Kletke
Volksweise

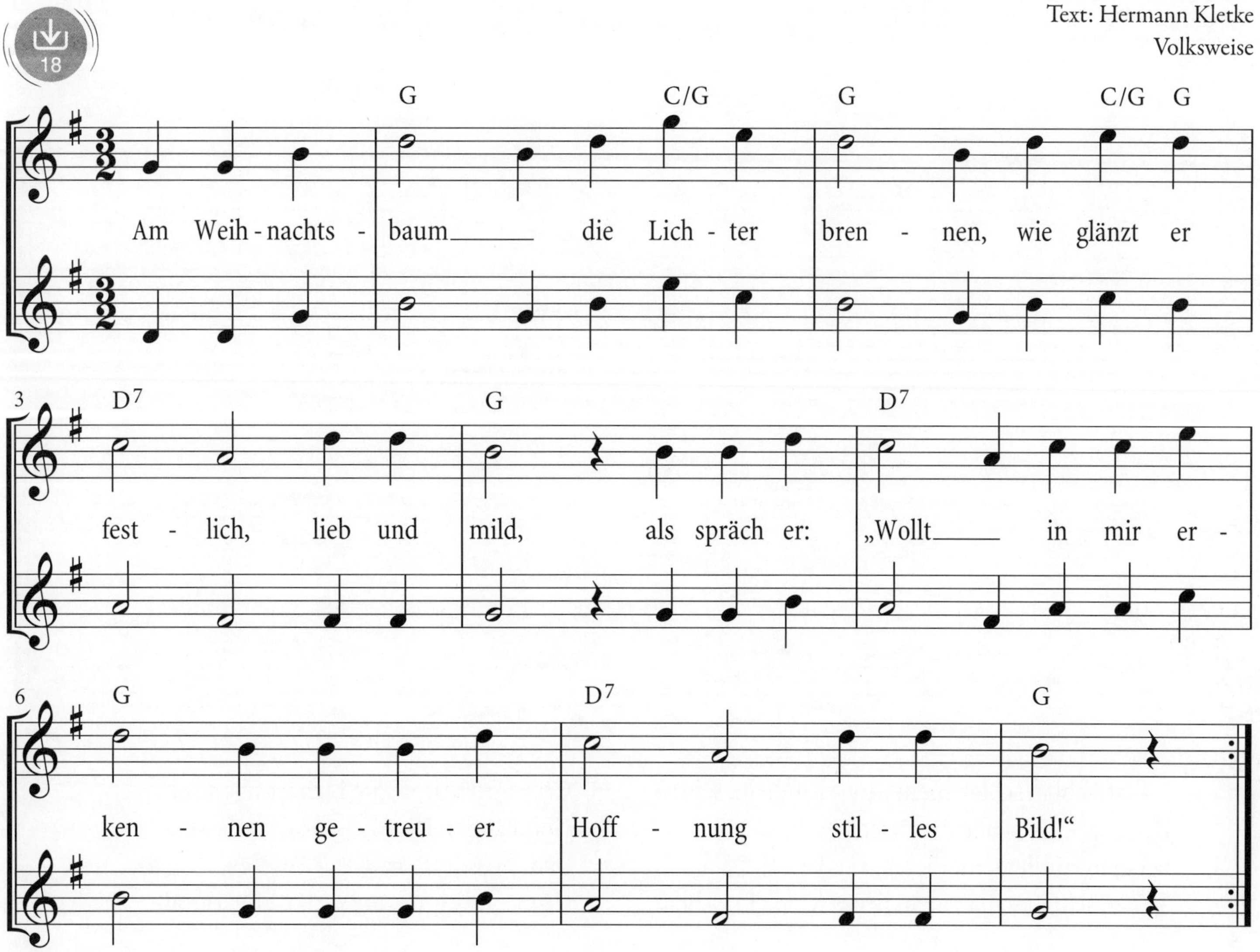
18
G C/G G C/G G
Am Weih - nachts - baum die Lich - ter bren - nen, wie glänzt er
3
D7 G D7
fest - lich, lieb und mild, als spräch er: „Wollt in mir er -
6
G D7 G
ken - nen ge - treu - er Hoff - nung stil - les Bild!"

Still, still, still, weil's Kindlein schlafen will

aus Salzburg 1865

2. Schlaf, schlaf, schlaf, mein liebes Kindlein, schlaf!
Die Engel tun schön musizieren,
bei dem Kindlein jubilieren.
Schlaf, schlaf, schlaf, mein liebes Kindlein, schlaf!

3. Groß, groß, groß, die Lieb ist übergroß!
Gott hat den Himmelsthron verlassen
und muss reisen auf der Straßen.
Groß, groß, groß, die Lieb ist übergroß!

O du fröhliche

Text: Johannes David Falk
Sizilianische Volksweise

2. O du fröhliche, o du selige,
gnadenbringende Weihnachtszeit!
Christ ist erschienen, uns zu versühnen:
Freue, freue dich, o Christenheit!

3. O du fröhliche, o du selige,
gnadenbringende Weihnachtszeit!
Himmlische Heere jauchzen dir Ehre:
Freue, freue dich, o Christenheit!

Süßer die Glocken nie klingen

21

Text: Wilhelm Kritzinger
Volksweise

2. O, wenn die Glocken erklingen, schnell sie das Christkindlein hört,
tut sich vom Himmel dann schwingen, eilet hernieder zur Erd,
segnet den Vater, die Mutter, das Kind, segnet den Vater, die Mutter, das Kind.
Glocken mit heiligem Klang, klinget die Erde entlang!

Stille Nacht, heilige Nacht

Text: Joseph Mohr
Melodie: Franz Gruber

2. Stille Nacht, heilige Nacht!
Gottes Sohn, o wie lacht
Lieb aus deinem göttlichen Mund,
da uns schlägt die rettende Stund,
Christ, in deiner Geburt,
Christ, in deiner Geburt.

3. Stille Nacht, heilige Nacht!
Hirten erst kundgemacht.
Durch der Engel Halleluja
tönt es laut von fern und nah:
Christ der Retter ist da,
Christ der Retter ist da!

Rudolph, The Red-Nosed Reindeer

Text und Melodie:
Johnny Marks

17
G
D
G
A7
D
Then one fog - gy
Christ - mas Eve,
San - ta came to
say:
21
A
A♯°
Hm
E7
"Ru - dolph, with your
nose so bright,
won't you guide my
24
A7
D
sleigh to - night?"
Then how the rein - deer
loved him
27
D
D/F♯
F°
A7/E
as they shout-ed out with
glee:
„Ru - dolph, the red - nosed
30
A7/E
D
rein - deer,
you'll go down in his - to -
ry!"

The Little Drummer Boy

Text und Melodie:
K. Davis/H. Onorati/H. Simeone

21
Gsus4 G D G
rum pum pum pum, when we come.

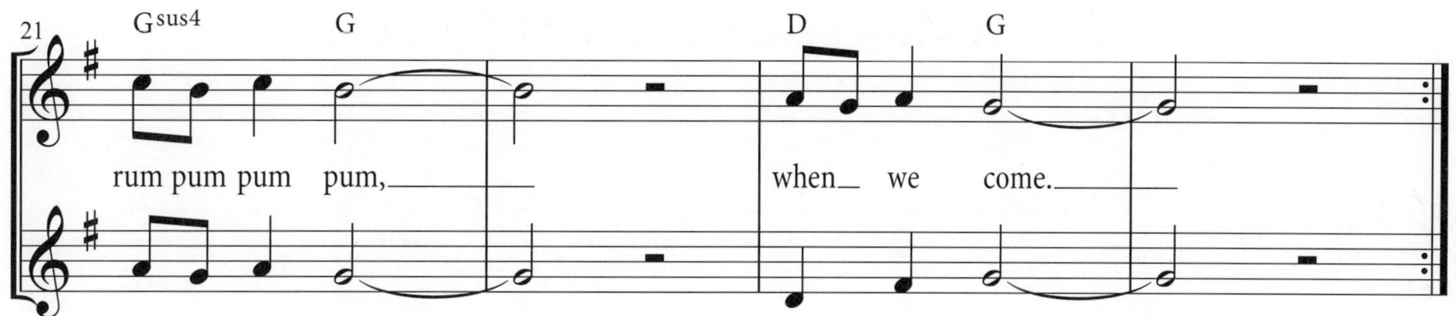

We Wish You A Merry Christmas

aus England

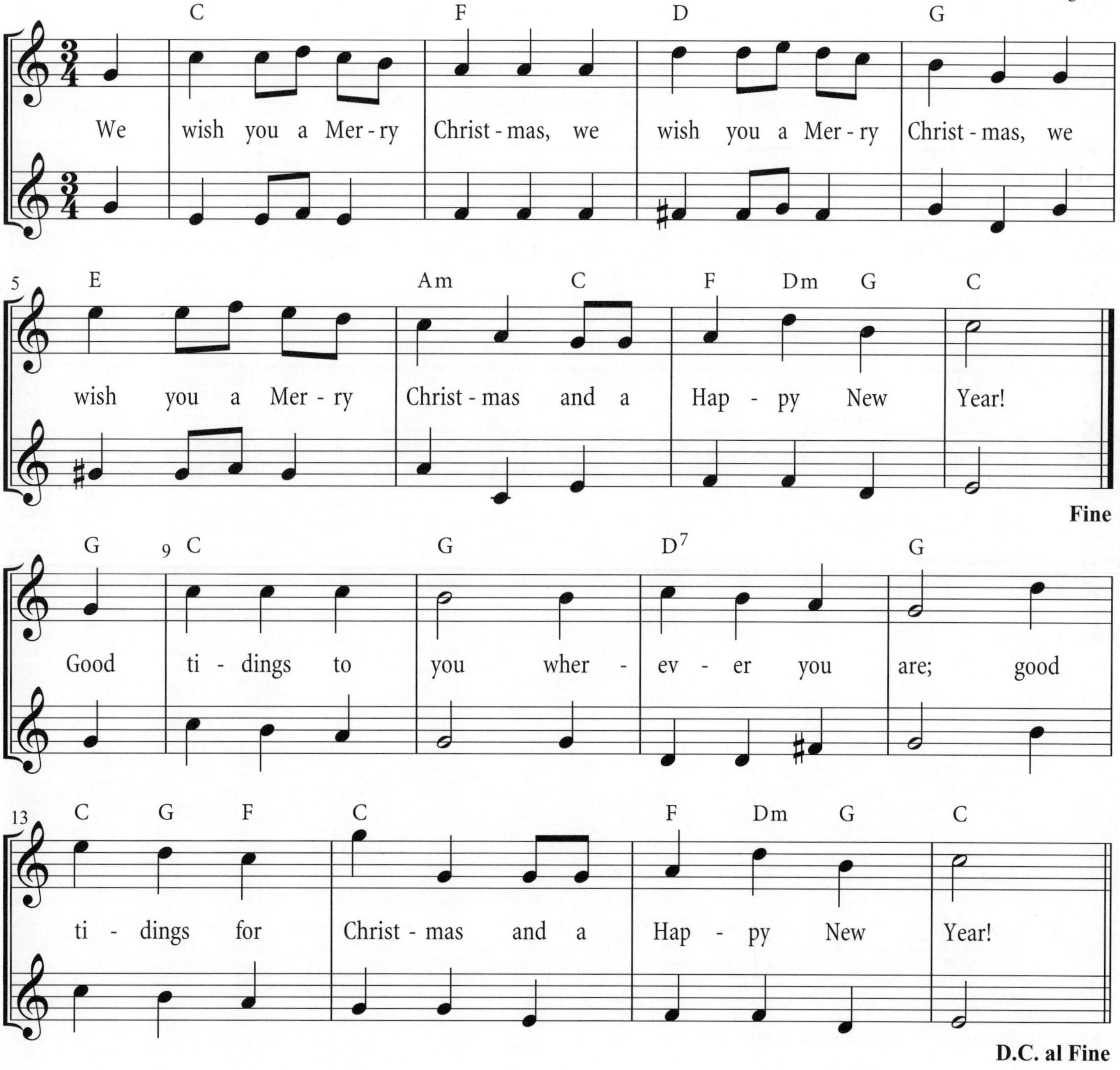
C F D G
We wish you a Mer-ry Christ-mas, we wish you a Mer-ry Christ-mas, we
5
E Am C F Dm G C
wish you a Mer-ry Christ-mas and a Hap-py New Year!
Fine
G 9 C G D7 G
Good ti-dings to you wher-ev-er you are; good
13
C G F C F Dm G C
ti-dings for Christ-mas and a Hap-py New Year!
D.C. al Fine

Wer klopfet an?

25

aus Tirol

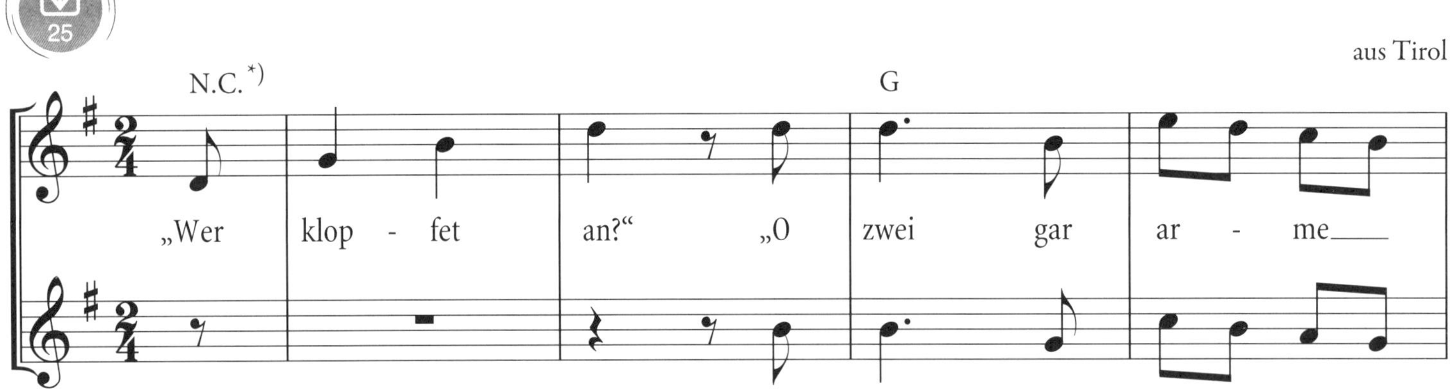

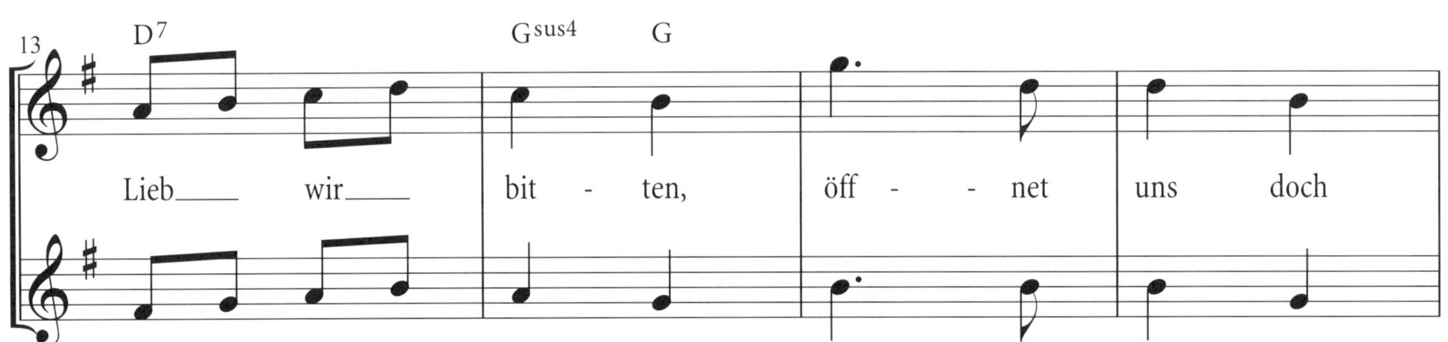

*) N.C. (No Chord = ohne Akkordbegleitung)

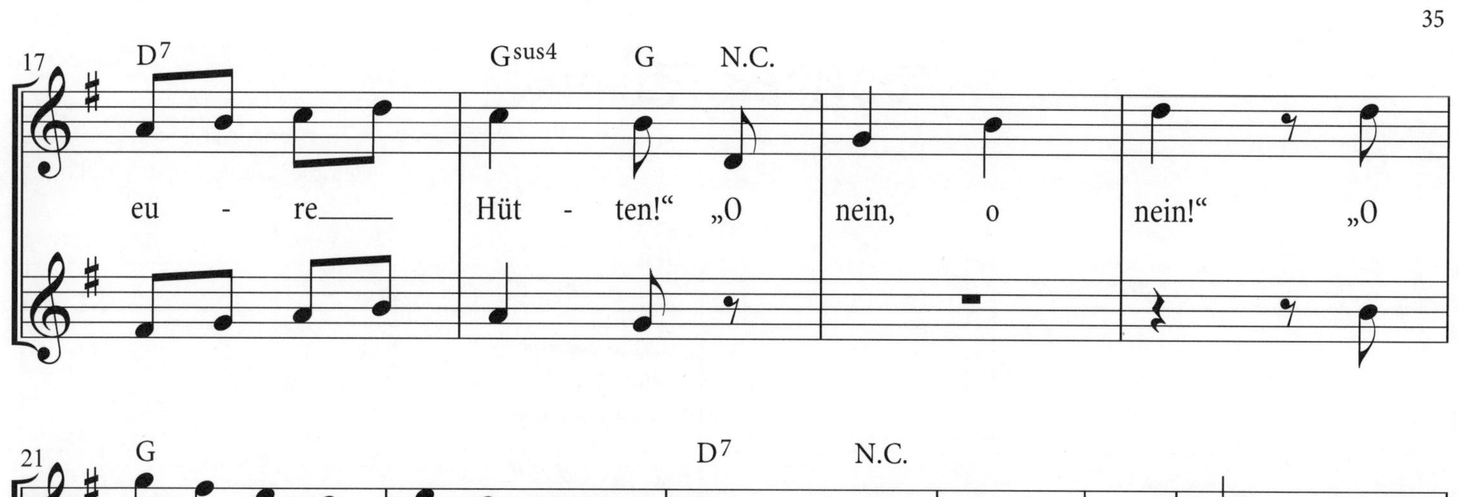

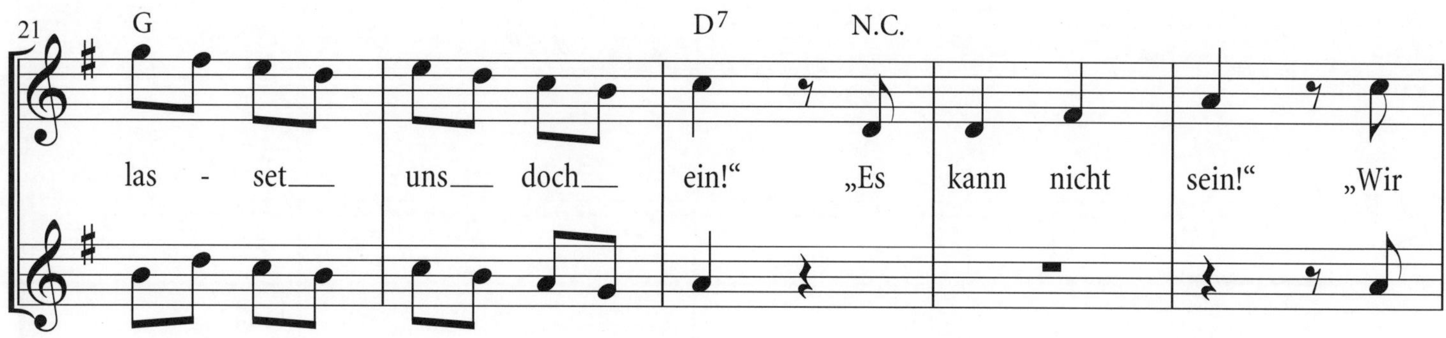

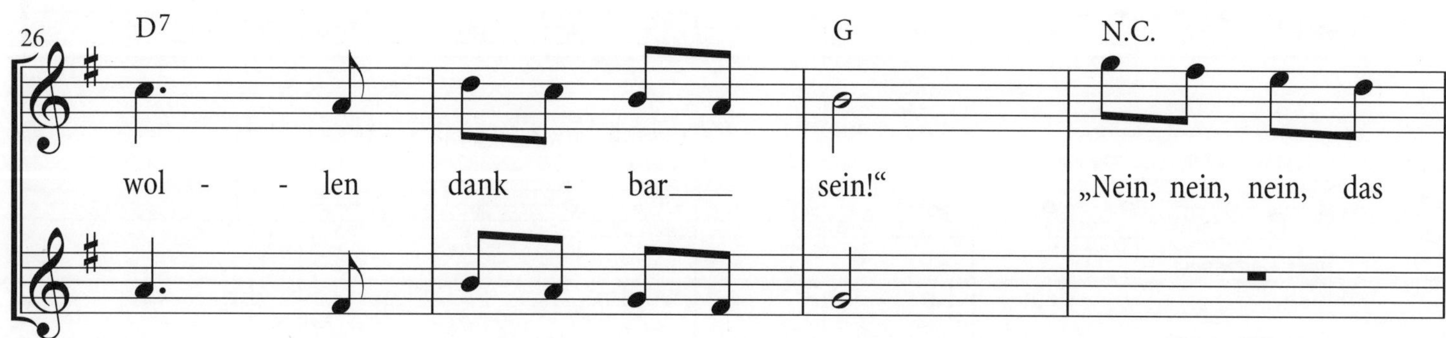

2. „Wer vor der Tür?“ „Ein Weib mit ihrem Mann.“
„Was wollt ihr denn?“ „Hört unser Bitten an!
Lasset heut bei euch uns wohnen,
Gott wird euch schon alles lohnen!“
„Was zahlt ihr mir?“ „Kein Geld besitzen wir!“
„Dann geht von hier!“ „O öffnet uns die Tür!“
„Ei, macht mir kein Ungestüm,
da packt euch, geht woanders hin!“

3. „Was weinet ihr?“ „Vor Kält erstarren wir.“
„Wer kann dafür?“ „O gebt uns doch Quartier!
Überall sind wir verstoßen,
jedes Tor ist uns verschlossen!“
„So bleibt halt drauß!“ „O öffnet uns das Haus!“
„Da wird nichts draus.“ „Zeigt uns ein andres Haus.“
„Dort geht hin zur nächsten Tür!
Ich hab nicht Platz, geht nur von hier!“

Tochter Zion

Text: Friedrich Heinrich Ranke
Melodie: Georg Friedrich Händel

2. Hosianna, Davids Sohn,
sei gesegnet deinem Volk!
Gründe nun dein ew'ges Reich,
Hosianna in der Höh!
Hosianna, Davids Sohn,
sei gesegnet deinem Volk!

3. Hosianna, Davids Sohn,
sei gegrüßet, König mild!
Ewig steht dein Friedensthron,
du, des ew'gen Vaters Kind.
Hosianna, Davids Sohn,
sei gegrüßet, König mild!

Joy To The World

Text: Isaac Watts
Melodie: Georg Friedrich Händel

O Little Town Of Bethlehem

Text: Phillips Brooks
Melodie: Lewis H. Redner

2. For Christ is born of Mary
and gathered all above,
while mortals sleep, the angels keep
their watch of wond'ring love.
O morning stars, together
proclaim the holy birth;
and praises sing to God the King,
and Peace to men on earth.

3. How silently, how silently,
the wondrous gift is giv'n!
So God imparts to human hearts
the blessings of His heav'n.
No ear may hear His coming,
but in this world of sin,
where meek souls will receive Him still,
The dear Christ enters in.

Deck the Halls

aus England

2. See the blazing Yule before us, fa, la, la ...
   Strike the harp and join the chorus, fa, la, la ...
   Follow me in merry measure, fa, la, la ...
   While I tell of Yuletide treasure, fa, la, la ...

3. Fast away the old year passes, fa, la, la ...
   Hail the new, ye lads and lasses, fa, la, la ...
   Sing we joyous all together, fa, la, la ...
   Heedless of the wind and weather, fa, la, la ...

Der Heiland ist geboren

Volksweise aus Innsbruck

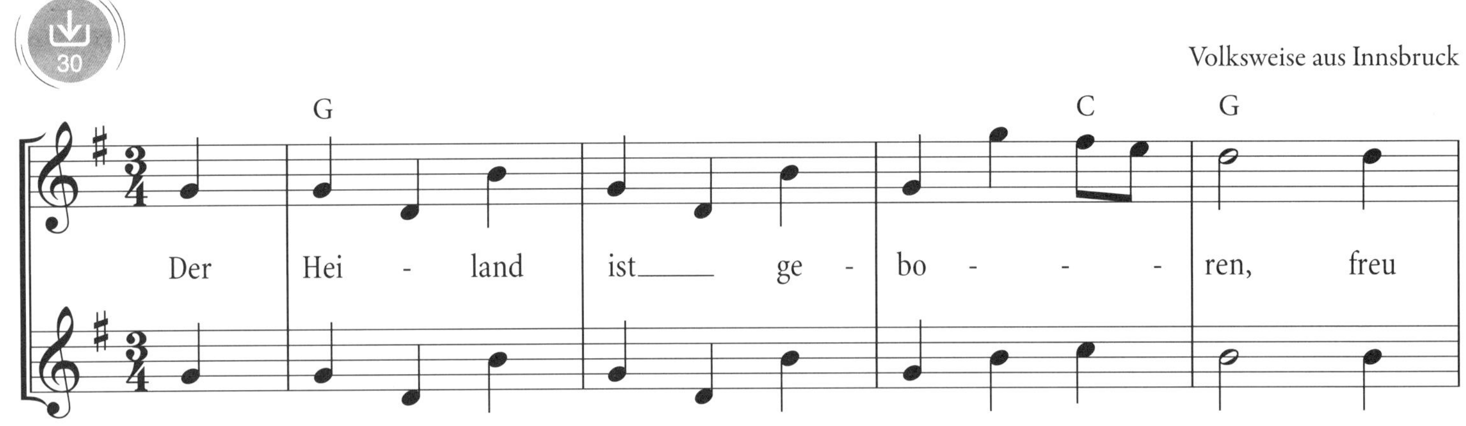

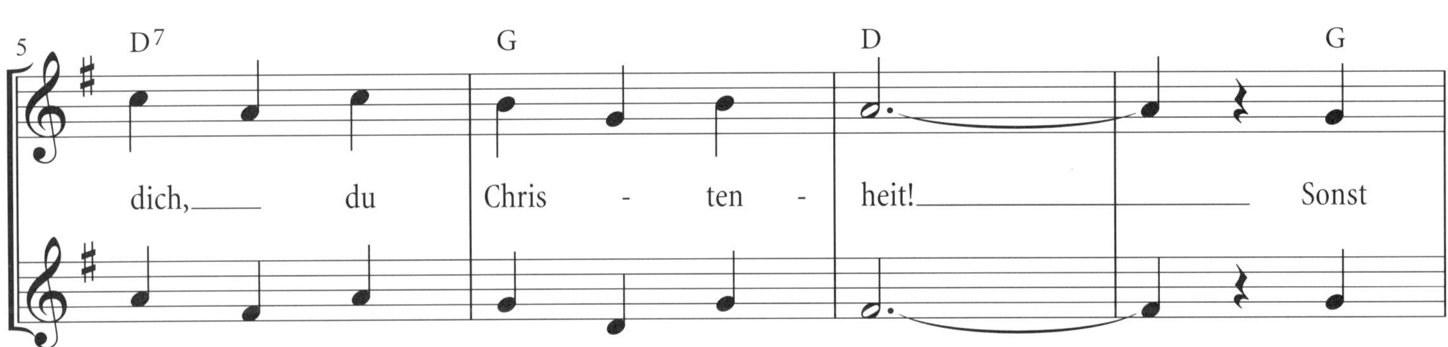

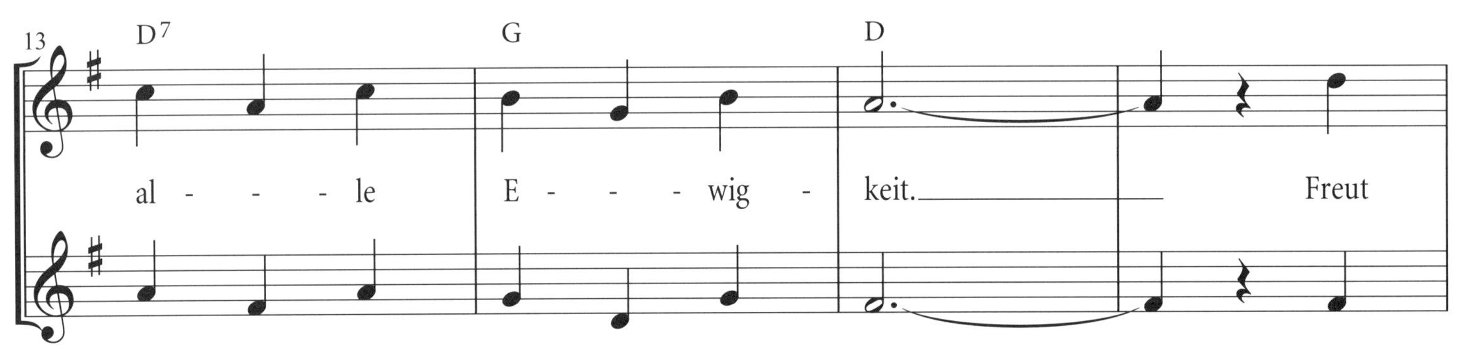

2. Ein Kindlein auserkoren,
freu dich, du Christenheit!
Sonst wärn wir gar verloren
in alle Ewigkeit!
Freut euch von Herzen, ihr Christen all,
kommt her zum Kindlein in dem Stall!
Freut euch von Herzen, ihr Christen all,
kommt her zum Kindlein in dem Stall!

3. Die Engel lieblich singen,
freu dich, du Christenheit;
tun gute Botschaft bringen,
verkündigen große Freud!
Freut euch von Herzen, ihr Christen all,
kommt her zum Kindlein in dem Stall!
Freut euch von Herzen, ihr Christen all,
kommt her zum Kindlein in dem Stall!

Auf dem Berge, da wehet der Wind

aus Oberschlesien

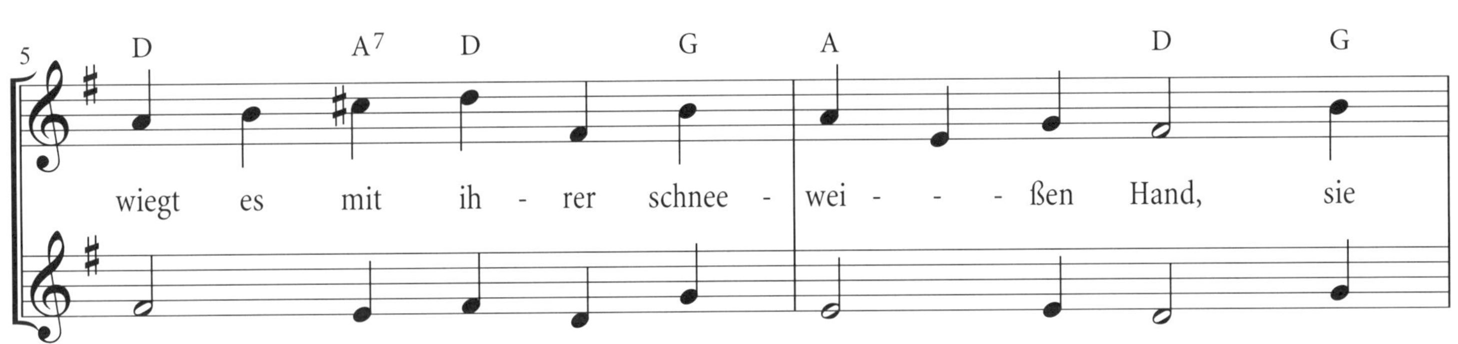

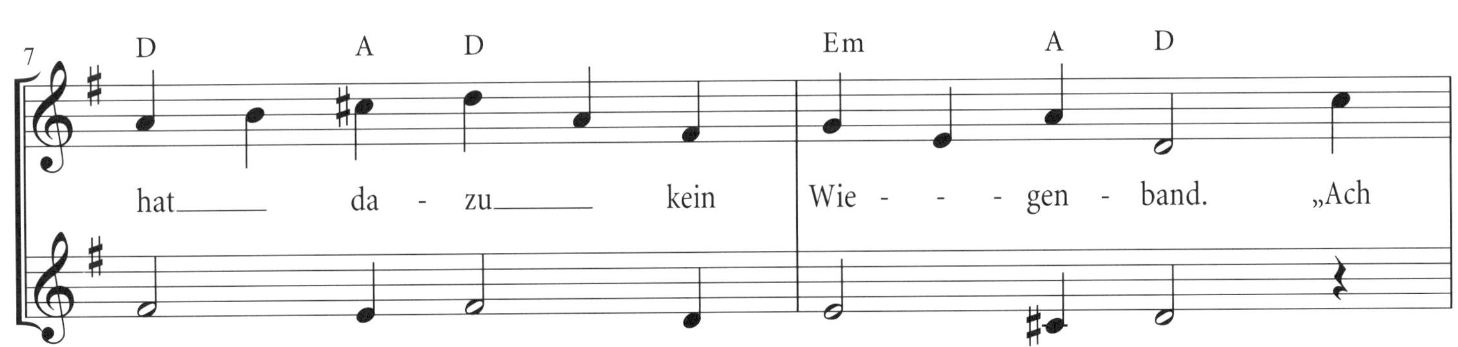

*) N.C. (No Chord = ohne Akkordbegleitung)

Ich steh an deiner Krippe hier

Text: Paul Gerhardt
Melodie: Johann Sebastian Bach

2. Da ich noch nicht geboren war,
da bist du mir geboren
und hast mich dir zu eigen gar,
eh ich dich kannt, erkoren.
Eh ich durch deine Hand gemacht,
da hast du schon bei dir bedacht,
wie du mein wolltest werden.

3. Ich lag in tiefster Todesnacht,
du warest meine Sonne,
die Sonne, die mir zugebracht
Licht, Leben, Freud und Wonne.
O Sonne, die das werte Licht
des Glaubens in mir zugericht',
wie schön sind deine Strahlen!